달팽이과학동화 · 생태

고마워 바람아

바람이 하는 일

글 · 보리 그림 · 한지희
최미숙

웅진출판주식회사

따뜻한 봄이 왔어요.

들판에는 온갖 꽃들이 피어났어요.

"아이 따뜻해."

아기바람이 기지개를 켜면서 일어났어요.

'산들산들.'

아기바람이 풀잎 사이로 지나갔어요.

풀잎들이 살랑살랑 고개를 흔들었어요.

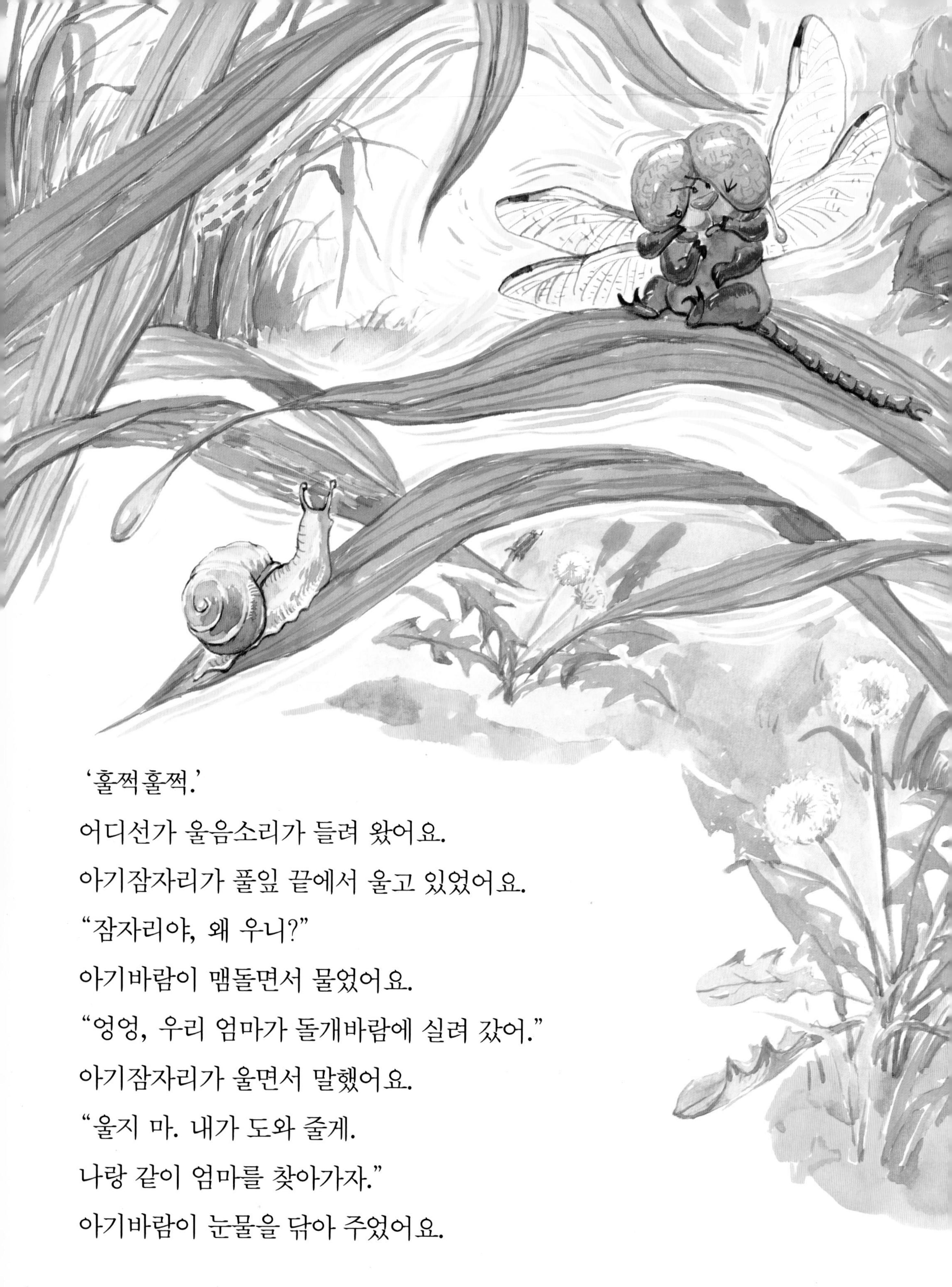

‘훌쩍훌쩍.’

어디선가 울음소리가 들려 왔어요.

아기잠자리가 풀잎 끝에서 울고 있었어요.

“잠자리야, 왜 우니?”

아기바람이 맴돌면서 물었어요.

“엉엉, 우리 엄마가 돌개바람에 실려 갔어.”

아기잠자리가 울면서 말했어요.

“울지 마. 내가 도와 줄게.

나랑 같이 엄마를 찾아가자.”

아기바람이 눈물을 닦아 주었어요.

아기잠자리는 바람을 따라 날아갔어요.
들판에는 민들레꽃들이 피어 있었어요.
"민들레야, 안녕! 엄마잠자리를 못 봤니?"
아기바람이 민들레에게 물었어요.
"봤어, 꽃씨를 날려 주면 가르쳐 주지."
민들레가 말했어요.
'후욱.'
아기바람이 민들레꽃씨를 날려 주었어요.
"고마워. 엄마잠자리는 소나무 숲으로 갔어."
민들레가 말했어요.

아기잠자리랑 아기바람은 소나무 숲으로 날아갔어요.

“소나무야, 안녕! 엄마잠자리를 못 봤니?”

아기바람이 소나무에게 물었어요.

“봤어, 꽃가루를 날려 주면 가르쳐 주지.”

소나무가 말했어요.

‘살랑살랑.’

아기바람이 노란 소나무 꽃가루를 날려 주었어요.

“고마워,

엄마잠자리는 저기 미루나무 사이로 지나갔어.”

소나무가 말했어요.

아기잠자리랑 아기바람은 미루나무로 날아갔어요.

미루나무 가지에는 가오리연이 걸려 있었어요.

"연아, 안녕! 엄마잠자리를 못 봤니?"

아기바람이 물었어요.

"봤어, 날 좀 날려 주면 가르쳐 주지."

가오리연이 말했어요.

'훨훨.'

아기바람이 연을 높이 날려 주었어요.

"고마워, 엄마잠자리는 저 산을 넘어갔어."

가오리연이 말했어요.

아기잠자리랑 아기바람은 산으로 날아갔어요.

"헉헉. 산이 너무 높아."

아기바람은 자꾸 뒷걸음질쳤어요.

"어떡하지? 큰일났네."

아기잠자리는 울상이 되었어요.

그 때 찬 바람들이 몰려왔어요.
"얘들아, 산을 넘게 도와 줄래?"
아기바람이 찬 바람들에게 말했어요.
"그래, 우리가 밀어 줄게. 영차영차."
찬 바람들은 아기바람을 밀어 올렸어요.
그러자 산 아래에 비가 내리기 시작했어요.

아기잠자리랑 아기바람은 산꼭대기로 올라갔어요.

산꼭대기에는 매가 살고 있었어요.

"매야, 안녕! 엄마잠자리를 못 봤니?"

아기바람이 물었어요.

"봤어, 나를 산 아래까지 태워 주면 가르쳐 주지."

매가 말했어요.

'쉬이익.'

아기바람은 매를 태우고 산 아래로 내려갔어요.

"고마워, 엄마잠자리는 강으로 갔어."

매가 말했어요.

아기잠자리랑 아기바람은 강으로 날아갔어요.
강에는 돛단배가 떠 있었어요.
"돛단배야, 안녕! 엄마잠자리를 못 봤니?"
아기바람이 물었어요.
"봤어, 나를 나루터까지 밀어 주면 가르쳐 주지."
돛단배가 말했어요.
아기바람은 힘껏 돛단배를 밀었어요.
'스윽스윽.'
아기바람은 돛단배를 나루터까지 밀어 주었어요.
"고마워, 엄마잠자리는 바다를 건너갔어."
돛단배가 돛을 펄럭거리면서 말했어요.

아기잠자리랑 아기바람은 바다로 날아갔어요.
'번쩍, 우르릉, 쾅!'
번개도 치고 천둥도 쳤어요.
"아이쿠, 무서워."
아기잠자리는 아기바람을 꼭 붙들었어요.
'콰르릉콰르릉.'
태풍이 몰려왔어요.
산더미 같은 파도가 뒤따라왔어요.
커다란 배들도 기우뚱기우뚱 파도에 휩쓸렸어요.
아기잠자리랑 아기바람도 태풍에 휩쓸려 갔어요.

태풍은 섬으로 올라갔어요.

'우지끈, 꽈당.'

아름드리 나무들도 뿌리째 뽑혀 쓰러졌어요.

'와당탕, 퉁탕.'

지붕도 날아가고 전봇대도 넘어졌어요.

"빨리 나무숲에 숨자."

아기바람은 아기잠자리를 데리고

바닷가 나무숲으로 들어갔어요.

태풍이 바다로 빠져 나갔어요.

"후유, 살았다."

아기바람이랑 아기잠자리는 길게 숨을 내쉬었어요.

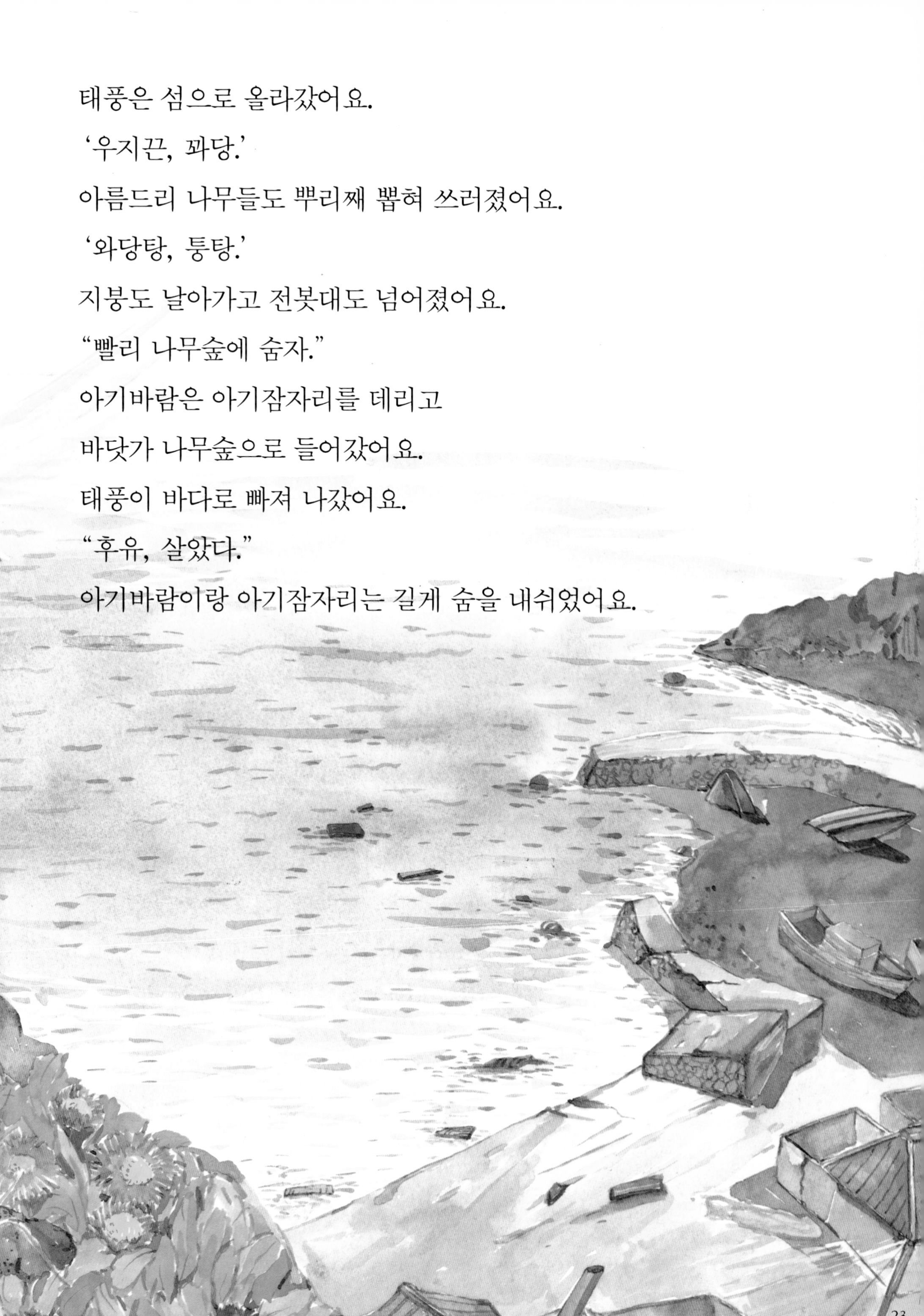

'폴폴폴.'

그 때 잠자리 한 마리가 날아왔어요.

"엄마!"

아기잠자리가 쏜살같이 날아갔어요.

"어떻게 여기까지 왔니?"

엄마잠자리가 아기잠자리를 안았어요.

"아기바람이 데려다 주었어요."

아기잠자리가 말했어요.

"아기바람아 고맙다."

엄마잠자리가 인사를 했어요.

"뭘요, 제가 집까지 바래다 드릴게요."

아기바람이 웃으면서 말했어요.

엄마잠자리랑 아기잠자리는 아기바람을 타고 날아갔어요.

바람은 어떤 일을 할까요?

태풍은 거센 폭풍을 일으켜서 배도 가라앉히고 나무도 뿌리째 뽑아 버려요.

바람은 어디로 불어 갈까요?

바람은 공기의 흐름이에요. 바람은 기온이 낮은 곳에서 기온이 높은 곳으로 불어요. 바닷가에 가면 바람이 어디로 부는지 알 수 있어요. 낮 동안에는 육지가 바다보다 더 빨리 뜨거워져요. 그래서 낮에는 서늘한 바다에서 따뜻한 육지로 바람이 불어요. 밤이 되면 육지가 바다보다 더 빨리 식어요. 그래서 밤에는 육지에서 바다로 바람이 불지요. 따뜻한 공기는 찬 공기보다 가볍고 밀도가 작아요. 그래서 따뜻한 공기는 위로 솟아오르고 찬 공기는 밑으로 가라앉아요.

바람은 얼마나 힘이 셀까요

바람의 힘은 바람의 속도에 따라 달라져요. 바람의 속도가 두 배가 되면 그 힘은 네 배가 되고, 속도가 세 배가 되면 그 힘은 아홉 배로 커져요. 적도에 가까운 바다에서는 비바람이 소용돌이치는 무서운 폭풍이 일어요. 지름이 500킬로미터에 이르고, 바람의 속도가 한 시간에 200킬로미터가 넘는 폭풍도 있어요. 이 폭풍은 우리 나라에도 몰려오지요. 폭풍이 크게 일면 집도 무너지고 기차도 뒤집어져요. 폭풍만 힘이 센 것은 아니에요. 깔때기 모양으로 소용돌이치는 회오리바람이 있으니까요. 회오리바람은 한 시간에 600킬로미터가 넘는 속도로 소용돌이치면서 지나가요. 회오리바람이 한 번 지나가면 엄청난 피해가 생겨나지요.

바람은 여러 가지 일을 해요. 민들레꽃씨도 퍼뜨려 주고 소나무 꽃가루도 날라 줘요. 돛단배를 밀어서 앞으로 나아가게 하고 연도 날려 주고 바람개비도 돌려 주지요.

동물은 바람을 어떻게 이용할까요?

바람의 힘을 가장 잘 이용하는 동물은 뭐니뭐니해도 새들이에요. 새들은 날개짓을 하거나 깃의 각도를 조절해서 바람의 힘을 이용한답니다. 매나 독수리와 같은 새들은 날개를 퍼덕이지 않고도 무척 높이 올라갈 수 있어요. 바람의 움직임을 이용하기 때문이지요. 새들의 몸뚱이는 보통 날씬한 유선형으로 생겼어요. 날씬한 모양은 바람의 저항을 줄여 주기 때문에

돌개바람은 힘이
무척 세요. 땅 위에 있는
것을 닥치는 대로
휘몰아가 버리지요.

훨씬 빨리 날도록 해 주지요. 새들뿐만이 아니에요. 다람쥐나 도마뱀이나 물고기 가운데도 날아다니는 것들이 있어요. 새들처럼 오래 날지는 못하지만 이런 동물들도 바람의 힘을 이용하지요. 날치는 가슴지느러미를 펼쳐서 나는데 때로는 400미터나 날 때도 있어요.

식물은 바람을 어떻게 이용할까요?

벼나 보리나 소나무는 바람의 도움을 받아서 꽃가루를 퍼뜨려요. 민들레나 버드나무처럼 바람의 도움을 받아서 씨앗을 퍼뜨리는 식물도 있어요. 민들레나 버드나무씨에는 복슬복슬한 털이 붙어 있어요. 바람이 불면 민들레씨앗은 바람을 타고 멀리 날아가지요. 민들레씨는 10킬로미터나 바람에 실려 갔다가 땅에 떨어지기도 해요.

사람은 바람을 어떻게 이용할까요?

사람들도 오래 전부터 바람을 이용해 왔어요. 이집트 사람들은 지금부터 5,000년쯤 전에 돛을 발명하여 바람의 힘으로 배를 몰았어요. 또 페르시아 사람들은 지금부터 2,500년쯤 전에 풍차로 곡식을 빻았어요. 풍차로는 물을 퍼 올리기도 해요. 네덜란드는 땅이 바다보다 낮기 때문에 풍차로 쉴새없이 물을 퍼내지요. 요즘에는 전기를 일으키려고 풍차를 돌려요. 바람의 힘을 이용한 것은 이 밖에도 무척 많아요. 비행기나 헬리콥터나 낙하산이나 모두 바람의 힘을 이용한 것이지요.

바람의 힘을 이용해서
풍차를 돌려요.
풍차로는 곡식을 빻기도
하고 전기도 일으키지요.

그린이 · 한지희, 최미숙

한지희 님은 1960년 서울에서 태어났습니다.
홍익대학교에서 서양화를 전공했습니다.
그 동안 '장롱 속의 사자와 미녀',
'서정주 세계 민화집' 을 그렸습니다.
또 월간 '정토' 에 그림을 많이 그렸습니다.

최미숙 님은 1963년 충남 대덕에서 태어났습니다.
홍익대학교에서 서양화를 전공했습니다.
그 동안 '좁은 문', '한여름 밤의 꿈' 등
청소년을 위한 책에 그림을 그렸습니다.

글쓴이 · 보리

보리는 좋은 책을 만들려는 사람들이
모여서 이룬 공동체입니다.
보리는 아이들을 위한 책이나
교육에 관련된 책들을 기획하고, 편집합니다.
그 동안 지은 책으로는
웅진출판주식회사에서 펴낸
올챙이 그림책 60권이 있습니다.

달팽이 과학동화 38 고마워 바람아

펴낸이 · 백석기/펴낸데 · 웅진출판주식회사 서울특별시 종로구 인의동 112-1/편집국 편집개발부 · 762-9358,766-6563/출판등록 · 1980.3.29 제 1-352/분해제판 · (주)그래픽아트/박은곳 · (주)고려서적/박은날 · 1996년 11월 9일 초판 14쇄/펴낸날 · 1996년 11월 20일 초판 14쇄 /편집기획 · 윤구병/글보리/그림 · 한지희, 최미숙/사실화 · 유진희/편집책임 · 차광주/편집 · 강순옥, 김마리, 김용란, 심조원, 유문숙, 이춘환/미술 · 이효재, 끄레디자인서비시스/값5,000원

ISBN 89-01-00960-9
ISBN 89-01-00922-6(세트)